STÉPHANE
L'APPRENTI INVENTEUR

PAR GARNOTTE

EH
Héritage jeunesse

Sommaire

Graphisme: Mathilde Hébert

ISBN: 2-7625-6545-6

Dépôt légal - 4e trimestre 1993
Bibliothèque nationale du Québec
Bibliothèque nationale du Canada
Imprimé au Canada

EH
Héritage jeunesse

BANC D'ESSAI

AVEZ-VOUS DÉJÀ EU ENVIE DE VOUS ASSEOIR SANS POUVOIR TROUVER DE SIÈGE CONFORTABLE ?

EN ATTENDANT UN AUTOBUS QUI A DU RETARD, PAR EXEMPLE
BUS
80

ALORS MOI, ÇA M'A DONNÉ L'IDÉE D'UN SIÈGE PORTATIF INTÉGRÉ AU PANTALON

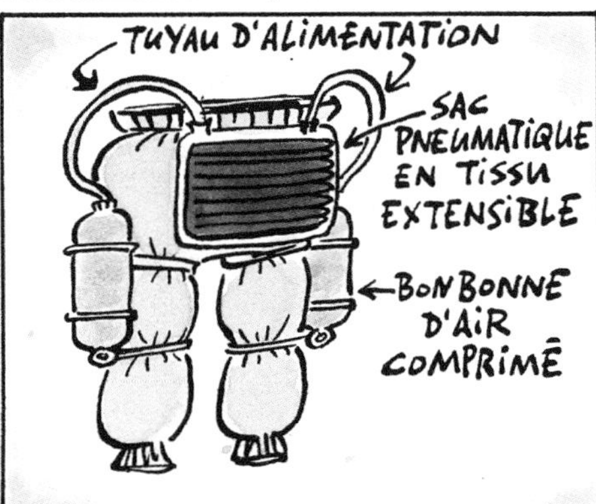
TUYAU D'ALIMENTATION
SAC PNEUMATIQUE EN TISSU EXTENSIBLE
BONBONNE D'AIR COMPRIMÉ

HÉ, M. FRICON!...J'AI INVENTÉ UN TRUC POUR CEUX QUI AIMENT SE LA COULER DOUCE !

COULER DOUCE ?!? MAIS, JE T'EN AVAIS DEMANDÉ UNE POUR ACCROÎTRE LA PRODUCTIVITÉ DANS L'INDUSTRIE !!

BOF... MAIS ATTENDEZ AU MOINS DE VOIR...

QUAND JE PLIE LES JAMBES, ÇA LIBÈRE UN VOLUME PRÉDÉTERMINÉ D'AIR COMPRIMÉ...
PFFFFF

...QUI GONFLE UN SAC PNEUMATIQUE

...ET QUAND JE REDRESSE LES JAMBES, ÇA PROVOQUE L'EFFET INVERSE

C'EST ÇA TA PRODUCTIVITÉ ?!? TU SAIS CE QUI ARRIVE À CEUX QUI SE LA COULENT DOUCE À L'USINE, OU AU BUREAU ?..

...ILS SE FONT METTRE À LA PORTE À COUPS DE PIED DANS LE...

MAIS ALLEZ-Y, M. FRICON! MON INVENTION PERMET AUSSI D'AMORTIR L'IMPACT DE CES MISES À PIED !
PFFFFF

GARNOTTE

PAS DE FUMÉE SANS FEU !

…FEU DE FORÊT EN ABITIBI, QUI SEMBLE AVOIR ÉTÉ CAUSÉ, ENCORE UNE FOIS, PAR UN FUMEUR NÉGLIGENT

…ON UTILISE LES AVIONS-CITERNES CL-215 DE CANADAIR POUR ARROSER LE BRASIER INFERNAL !!

ALORS MOI, ÇA M'A DONNÉ UNE "PETITE" IDÉE…

L'IDÉE: CONSTRUIRE UN AVION-CITERNE MINIATURE TÉLÉGUIDÉ DESTINÉ AUX GARDES FORESTIERS

J'ESPÈRE QUE M. FRICON AURA RÉUSSI À TROUVER SON ACCESSOIRE POUR SA PARTICIPATION AU TEST !

UN PEU COMME LE CL-215, MON AVION-CITERNE REMPLIT SON RÉSERVOIR VENTRAL EN PASSANT EN "RASE-VAGUES."
VVV
VRRR.OOOO

L'AVANTAGE DE MON AVION-CITERNE, C'EST…
ROOOO

…DE COMBATTRE LES FEUX DE FORÊT…
POF
POF
POF
POF

…AVANT QU'IL NE SOIT…

VVR.OOOOAA
…TROP TARD !!

GARNOTTE

SAUPOUDREUSE D'ESCAMPETTE

QUELQUEFOIS, L'HIVER...

...LA PLUIE SE TRANSFORME...

...EN VERGLAS!
AVOIR SU, JE NE SERAIS PAS SORTI DE CHEZ MOI.

ALORS MOI, J'AI EU UNE IDÉE POUR FACILITER LA VIE DES PERSONNES ÂGÉES!

LE SEL FAIT FONDRE LA GLACE, C'EST CONNU... NON?
BIEN SÛR!

ALORS MOI, J'AI PENSÉ INSTALLER UNE ÉPANDEUSE DE SEL SUR LE BOUT DES BOTTES

SUPPORT FLEXIBLE EN FIBRE DE VERRE
RESSORT
SALIÈRE
BOTTE
SEL

JE NE SUIS PLUS PRISONNIER DE CHEZ MOI!
Y A DU FRIC À FAIRE AVEC ÇA!

C'EST ALORS QUE J'AI PENSÉ À UNE AUTRE UTILISATION DE MON INVENTION. DESTINÉE CELLE-LÀ, À...

...UN AUTRE MARCHÉ CAPTIF: LES PRISONNIERS...
...QUI S'ÉVADENT! HI! HI!

ILS N'ONT QU'À REMPLACER LE SEL PAR LE POIVRE!
CHERCHE PRINCE! CHERCHE!
ÇA VA PRINCE?
SNIF
GNA
SNIF

AH BEN ÇA ALORS! IL NOUS A GLISSÉ ENTRE LES DOIGTS!
AAAAATCHOU

GARNOTTE

COMPLÈTEMENT MARTEAU!

CE QUI FRAPPE LE PLUS CHEZ M. FRICON, CE N'EST SÛREMENT...

...PAS LA PRÉCISION DE SON COUP DE MARTEAU !
NG
CRAC

OOOUAAAAÏÏ

TU VAS M'INVENTER UN MARTEAU ABSOLUMENT SÉCURITAIRE... ET PLUS VITE QUE ÇA !

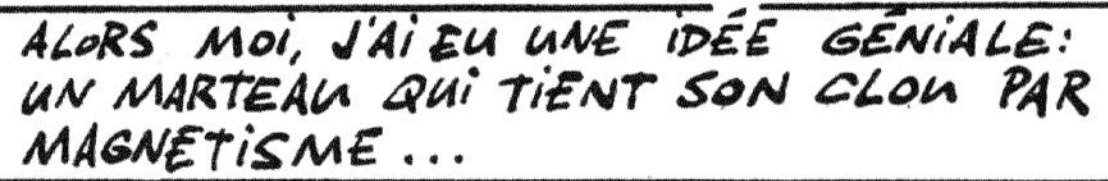
ALORS MOI, J'AI EU UNE IDÉE GÉNIALE: UN MARTEAU QUI TIENT SON CLOU PAR MAGNÉTISME...

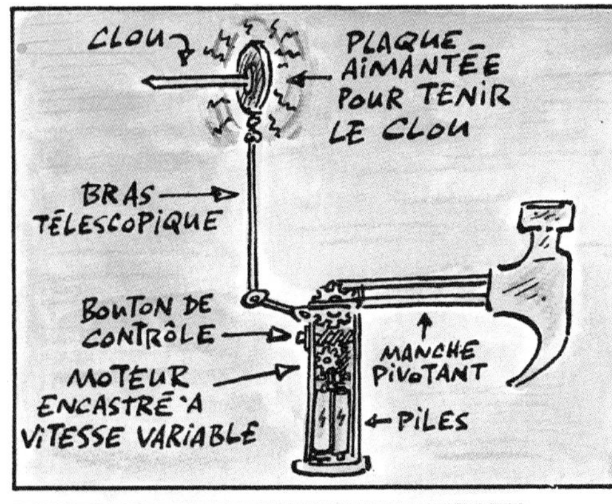
CLOU
PLAQUE AIMANTÉE POUR TENIR LE CLOU
BRAS TÉLESCOPIQUE
BOUTON DE CONTRÔLE
MANCHE PIVOTANT
MOTEUR ENCASTRÉ À VITESSE VARIABLE
PILES

...ET QUI L'ENFONCE AUTOMATIQUEMENT !
TOC
TOC
TOC
TOC

TENEZ, M. FRICON !! TESTEZ-MOI ÇA ! C'EST SUPER SÉCURITAIRE !!!
?

PRUDENCE... JE FLAIRE LE DANGER... C'EST QUE J'AI DU PIF, MOI...

ZBOING

J'AI PEUT-ÊTRE MÊME UN PEU TROP DE PIF !
ÇA VA M. FRICON?

GARNOTTE

DES HAUTS ET DES BAS

M. FRICON, JE M'EN VAIS TESTER UNE ÉCHELLE DONT LES PIEDS NE DÉRAPENT JAMAIS ET QUI SE RANGE DANS UN PLACARD...
?$?

...ET SURTOUT, C'EST L'ÉCHELLE LA MOINS FATIGANTE AU MONDE!... ELLE EST PROPULSÉE PAR DEUX PUISSANTS RESSORTS...
NBOÏNG

SMAC
CHTOK
CHTOK
...À SON APOGÉE, ON LANCE DEUX SUPER VENTOUSES SUR LE MUR...

...PUIS GRÂCE À SON ÉCHELON-MANIVELLE ON DESCEND À LA HAUTEUR DÉSIRÉE... TOUT EN REMONTANT LES RESSORTS
CROUI
CROUI
CROUI
Y A DU FRIC À FAIRE AVEC ÇA!

ET LES VENTOUSES?

EUH... ÉVENTUELLEMENT IL Y AURA UN SYSTÈME... EUH UN MACHIN... ENFIN ...UN TRUC... ...MAIS D'ICI LÀ...
...IRIEZ-VOUS ME CHERCHER UNE GRANDE ÉCHELLE, QUE JE LES DÉCOLLE À LA MAIN!

GARNOTTE

VERRE DE CONTACT

LES VITRES C'EST BIEN PRATIQUE, MAIS...

...C'EST MALHEUREUSEMENT CASSANT!
CLING

ALORS, J'AI ÉTUDIÉ LE PROBLÈME
...LE VERRE EST NORMALEMENT FAIT À PARTIR DU SABLE AUQUEL ON AJOUTE ENVIRON 10% DE CHAUX ET 15% DE SOUDE...
ENCYCLOPÉDIE

ON PEUT Y ADDITIONNER D'AUTRES COMPOSANTS EN QUANTITÉ VARIABLE SELON LE TYPE DE VERRE DÉSIRÉ...

CLIC

J'AI DONC AJOUTÉ AU MÉLANGE QUELQUES INGRÉDIENTS SECRETS
(SUPER-BALLE)
(BANDES ÉLASTIQUES)

PUIS J'AI FAIT FONDRE LE TOUT AU FOUR À 850°C

J'AI HÂTE QUE M. FRICON TESTE CETTE VITRE ÉLASTIQUE... L'ASPECT COMMERCIAL VA LUI SAUTER AUX YEUX!
SWISCH

TU VEUX VRAIMENT QUE JE LANCE UNE BALLE DANS CETTE VITRE?!! HÉ! HÉ! HÉ! HÉ! HÉ!

SWISSCH

SWOUSCH
CLING

DES LUNETTES À VERRE ÉLASTIQUE!... VOUS ALORS, M. FRICON! VOUS AVEZ VRAIMENT L'ART DE TROUVER DE NOUVELLES APPLICATIONS À MES INVENTIONS!
JE DÉTESTE LES TESTS!

GARNOTTE

DU BON BOND !

J'AVAIS RÉUSSI À CONVAINCRE M. FRICON À VENIR FAIRE DE LA RAQUETTE...

AU SECOURS!

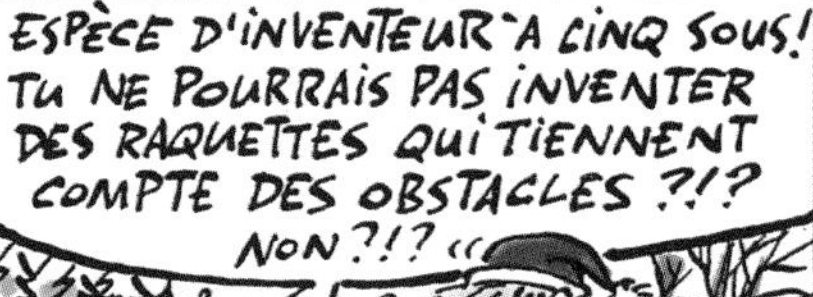
ESPÈCE D'INVENTEUR À CINQ SOUS! TU NE POURRAIS PAS INVENTER DES RAQUETTES QUI TIENNENT COMPTE DES OBSTACLES ?!? NON ?!?

CHUT! REGARDEZ LÀ-BAS M. FRICON!!

WOW! J'AIMERAIS ÇA, MOI, POUVOIR SAUTER SUR LA NEIGE COMME UN LIÈVRE!

ALORS MOI, ÇA M'A DONNÉ UNE IDÉE!

UN PEU DE SOUDURE, DE L'ALUMINIUM ET UN JOUET QUI NE SERT QUE L'ÉTÉ...

ET HOP!... ON FAIT FI DE L'OBSTACLE!
ZBOÏNG

GARNOTTE

COUP DE CHAPEAU !

M. FRICON !
J'AI UNE INVENTION À VOUS FAIRE TESTER !
?

JE ME SUIS DIT QUE DANS CERTAINS CAS IL FAUT SAVOIR SE SERVIR DE SA TÊTE

JE NE VOUDRAIS PAS PARAÎTRE INDISCRET, MAIS À QUOI ÇA SERT AU JUSTE ?...
...À FAIRE LE TATA ?...

VOUS RAPPELEZ-VOUS NOTRE DERNIÈRE EXCURSION DE PÊCHE, QUAND VOUS AVIEZ PRIS LA MOUCHE POUR QUELQUE FRAPPE-À-MORT

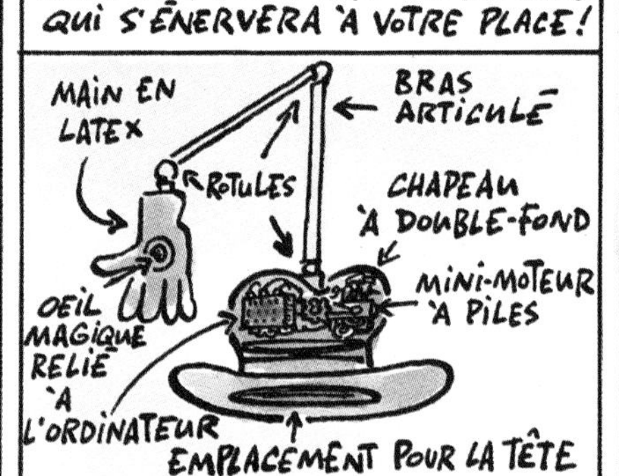

ALORS MOI, J'AI CONÇU UN SYSTÈME QUI S'ÉNERVERA À VOTRE PLACE !
MAIN EN LATEX
BRAS ARTICULÉ
ROTULES
CHAPEAU À DOUBLE-FOND
MINI-MOTEUR À PILES
OEIL MAGIQUE RELIÉ À L'ORDINATEUR
EMPLACEMENT POUR LA TÊTE

PARÉ POUR LE TEST, M. FRICON ?

MAIS... MAIS, C'EST UN MOUSTIQUE !?!
BÎP
VVRRR

UN PEU COMME LA QUEUE D'UNE VACHE, ÇA VIREVOLTE ET ÉLOIGNE LES MOUSTIQUES..

SI JAMAIS UN SEUL MARINGOUIN RÉUSSIT À PERCER CE BARRAGE...
Fiou!
OH! OH!

C'EST L'ALERTE ROUGE!!!
VRRR

CLAC

CE QUI EST GÉNIAL, C'EST QUE CE N'EST PAS POLLUANT COMME LES INSECTICIDES !
T'AS RAISON ! ON N'EST JAMAIS TROP DOUX AVEC LA NATURE !
VRR

GARNOTTE

RATÉS DE RÂTEAU !

J'AVAIS REMARQUÉ QUE M. FRICON TROUVAIT PLUTÔT ASSOMMANT D'AVOIR À PASSER LE RÂTEAU...

...MAIS, IL TROUVAIT LE RÂTEAU ENCORE PLUS ASSOMMANT QUAND ILS TRAÎNAIENT TOUS LES DEUX DANS LA COUR...

BONG

ALORS MOI, ÇA M'A DONNÉ UNE IDÉE...
CLIC

...INVENTER UN RÂTEAU...

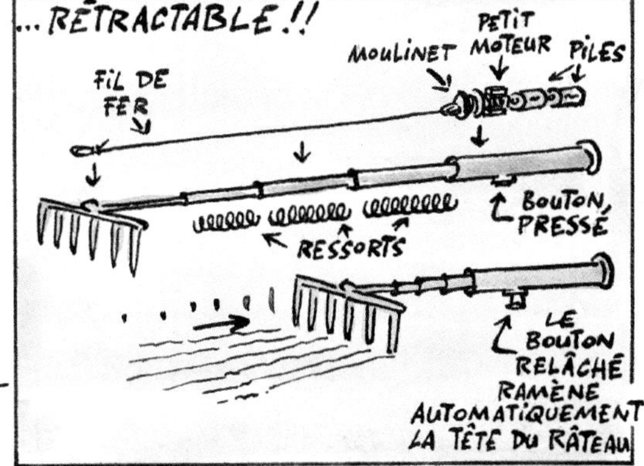
...RÉTRACTABLE !!
FIL DE FER
MOULINET
PETIT MOTEUR
PILES
BOUTON PRESSÉ
RESSORTS
LE BOUTON RELÂCHÉ RAMÈNE AUTOMATIQUEMENT LA TÊTE DU RÂTEAU

D'UNE PART, VOUS POURREZ DÉSORMAIS RÂTELER SANS EFFORTS, SUR SIMPLE PRESSION DU DOIGT...
CLIC
ZBONG

D'AUTRE PART, SI VOUS MARCHEZ DESSUS, LE MANCHE EST TROP COURT POUR VOUS BLESSER...

...LE PIF !! TESTEZ-MOI ÇA, M. FRICON !!!
DONG

ÔÂHH !! AVEC PLAISIR !! C'EST LA VENGEANCE DU CERVEAU HUMAIN SUR L'OBJET INANIMÉ DONT L'INTELLIGENCE NE NOUS VIENT PAS AUX...

...GENOUX !
CLIC

PIF
ZBONG

GARNOTTE

SONATE D'ENTRÉE

DRIING

BONJOUR CHER AMI !! JE SUIS HONORÉ DE VOTRE VISITE ET...

AH !?!... TIENS ! CE N'EST QUE TOI !!

NE SOIS PAS VEXÉ... MAIS IMAGINE-TOI QUE J'ATTENDS LA VISITE DE VLADIMIR CONCERTOV... LE GRAND PIANISTE... J'AI CRU QUE C'ÉTAIT LUI QUI SONNAIT !

ALORS MOI... PLUTÔT QUE DE ME VEXER, ÇA M'A DONNÉ UNE IDÉE !

CELLE D'INSTALLER PLUSIEURS SONNETTES...

CHACUNE DOTÉE D'UNE SONNERIE DIFFÉRENTE ET HARMONISÉE...

...POUR PERMETTRE À TOUT VISITEUR DE S'ANNONCER PAR SA MÉLODIE À LUI !
SUR LE PONT D'AVIGNON...
BIZ
BUZ

QUANT AUX VIRTUOSES... CE NE NE SERA PAS LA PREMIÈRE FOIS...

...QUE LEUR TALENT LEUR OUVRIRA DES PORTES !
GÉNIAL !
CRAC

C'EST BIEN BEAU... MAIS POURRAIS-TU... LUI DIRE QUE JE SUIS LÀ ! C'EST VEXANT À LA FIN !

GARNOTTE

TÊTE À TÊTE

L'AUTRE JOUR, ALORS QUE JE PASSAIS DEVANT...
AH LÀ LÀ LÀ ! POURQUOI C'EST TOUJOURS STÉPHANE QUI A LES BONNES IDÉES? ...ET JAMAIS MOI ?!!

... LE BUREAU DE M. FRIGON, J'AI ENTENDU:
JE NE SAIS PAS CE QUE JE DONNERAIS POUR QUE CE QUI SORT DE LA TÊTE DE STÉPHANE SORTE PLUTÔT DE LA MIENNE !

ALORS MOI, ÇA M'A FAIT RÉFLÉCHIR...
C'EST VRAI QU'IL N'EST PAS CHOYÉ DE CE CÔTÉ-LÀ !!

NE M'ENVIEZ PLUS, M. FRIGON! JE VAIS PARTAGER AVEC VOUS CE QUE J'AI DE PLUS PRÉCIEUX: MA TÊTE !

SE POURRAIT-IL QU'IL AIT INVENTÉ UN APPAREIL POUR TRANSFÉRER LA CRÉATIVITÉ D'UNE TÊTE À UNE AUTRE ?!! VOILÀ LA CHANCE DE MA VIE !!

ATTENTION! ÇA VA CHATOUILLER UN PEU...
PSCHHH
CLIC

VRRÔOO
NE BOUGEZ PLUS !!
CLAC

ET VOILÀ !...

...ET CHAQUE CHEVEU EST COUPÉ, NUMÉROTÉ ET COLLÉ AU BON ENDROIT PAR UN ORDINATEUR COUPLÉ À UN RASOIR ET À UN ASPIRATEUR QUI...

GARNOTTE

COUP DE POUSSE !

C'EST BIEN CONNU, L'HIVER, C'EST LA SAISON OÙ LES AUTOS S'ENLISENT DANS LA NEIGE !

STÉPHANE SI TU POUSSES, MOI JE M'EN TIRE !!

KAWABUNGA!
VVVRR
ZZZZiiNN

ALORS MOI, ÇA M'A POUSSÉ À TROUVER UNE IDÉE...

...POUR LES AUTOMOBILISTES POUSSIFS

PARÉ POUR LE TEST ?... ALLEZ-Y M. FRICON, RECULEZ DANS CE BANC DE NEIGE !
T'ES SÛR ?
VVROAM

MON INVENTION, C'EST UNE RAQUETTE À CRAMPONS D'ACIER AU BOUT D'UNE JAMBE HYDRAULIQUE !

DÉSORMAIS, TOUT CE QU'ON A À POUSSER C'EST ... UN BOUTON !
PSCHUiiii

GARNOTTE

AU PAS... FOU!

C'EST À CETTE HEURE-CI QUE TU ARRIVES?!...
TAP TAP

JE NE VEUX PLUS TE VOIR TE TRAÎNER LES PIEDS!
SINON JE VAIS TE METTRE AU PAS, MOI!

ALORS MOI, JE L'AI PRIS AU PIED DE LA LETTRE...

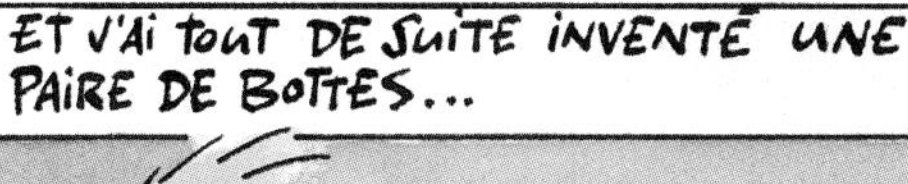
ET J'AI TOUT DE SUITE INVENTÉ UNE PAIRE DE BOTTES...

ROULEMENT À BILLES
TIGE AJUSTABLE

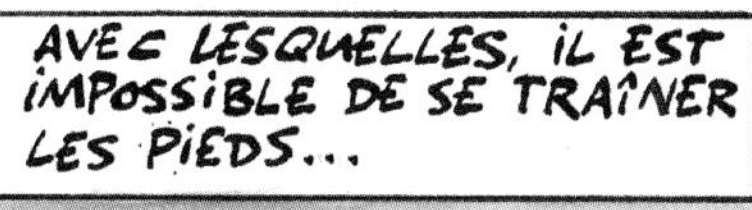
AVEC LESQUELLES, IL EST IMPOSSIBLE DE SE TRAÎNER LES PIEDS...

ET ÇA M'A AMENÉ À FAIRE UN PAS DE PLUS:...

EN AJOUTANT UN SYSTÈME DE SUPER RESSORTS SPIRAUX...

GRÂCE À EUX, ON N'A QU'À RECULER, RECULER ET RECULER...
CROUK
CROUK

...ET QUAND LES RESSORTS SONT BIEN REMONTÉS...

...ON COURT LE CENT MÈTRES LE PLUS RAPIDE DE SA VIE...

COMME D'HABITUDE, QUAND M. FRICON A VOULU LES ESSAYER...

GARNOTTE

PLAT 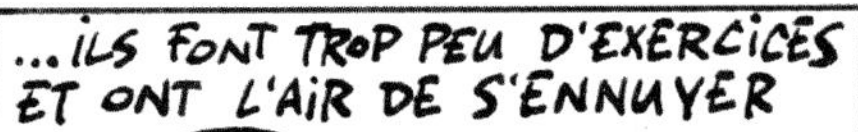 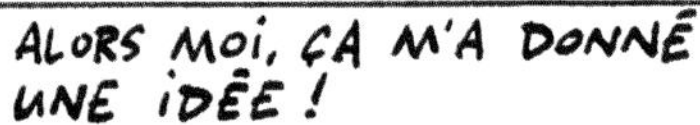

LE PROBLÈME AVEC LES CHATS QUI VIEILLISSENT, C'EST QUE SOUVENT, ILS MANGENT TROP...

...ILS FONT TROP PEU D'EXERCICES ET ONT L'AIR DE S'ENNUYER

JE NE M'ENNUIE PAS... JE DORS!

ALORS MOI, ÇA M'A DONNÉ UNE IDÉE !

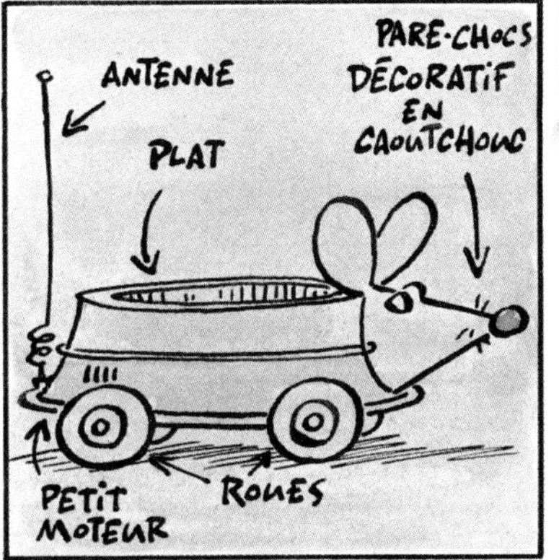
ANTENNE
PLAT
PARE-CHOCS DÉCORATIF EN CAOUTCHOUC
PETIT MOTEUR
ROUES

UNE ASSIETTE-À-CHAT TÉLÉGUIDÉE...

BZZOUMM

BBZZOUMMM

CATACLOP CATACLOP
BBZOUMM

VROOMM
V V V
BZOOUMMM

ZBONG

AAAAH! SI ÇA EXISTAIT POUR NOUS LES HUMAINS...
MIAM
GROUMF
NIEURF
MIOMF
STROUMF

ALLEZ-Y M. FRICON!
OUÂOU!
BZZZOUMMM

GARNOTTE

LA LOUCHE LOUCHE...

UN BOL DE SOUPE, C'EST BON...

MAIS SOUVENT C'EST CHAUD...
SSSRRRRLLP!

ET MÊME TRÈS TRÈS CHAUD!
OUAÏLLE

IL SUFFIT DE SOUFFLER DESSUS POUR LA RAFRAÎCHIR, ME DIREZ-VOUS
PFFF...

MAIS CERTAINES PERSONNES NE SEMBLENT PAS VOULOIR APPRENDRE!
GNA... BLUBLL... LBLALL... GNABL... BLABL...

ALORS MOI, J'AI EU UNE IDÉE...

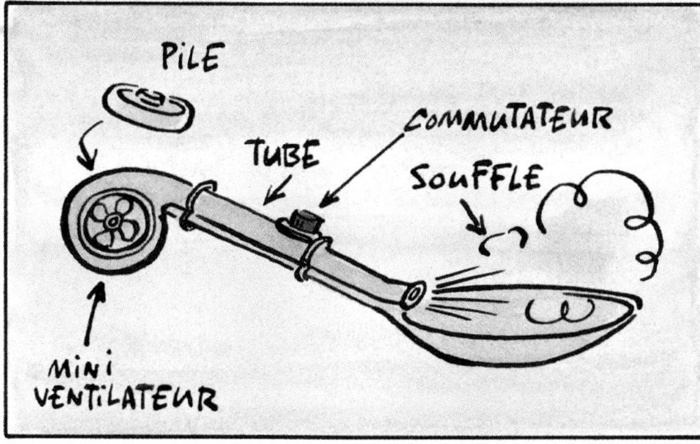
PILE
TUBE
COMMUTATEUR
SOUFFLE
MINI VENTILATEUR

TESTEZ-MOI ÇA M. FRICON: UNE INVENTION À VOUS COUPER LE SOUFFLE. UNE CUILLER QUI JETTE UN FROID DANS LA SOUPE...

J'ESPÈRE QU'IL Y A DU FRIC À FAIRE AVEC ÇA!

PFRTT
VRRRRR

OUPSE! FAUDRAIT AJUSTER LA FORCE DU VENTILATEUR, N'EST-CE PAS?
JE DÉTESTE LES TESTS!

GARNOTTE

UN ARRÊTE-POISSON

C'EST LE PREMIER AVRIL...

OH! OH! VOICI VENIR LA VICTIME IDÉALE!

N'ESSAIE PAS DE ME COLLER UN POISSON DANS LE DOS !

TOUT LE MONDE S'Y ESSAIE ... MAIS, JE VOUS AI À L'OEIL, MOI ! ... NON MAIS !

ALORS MOI, ÇA M'A DONNÉ UNE IDÉE...

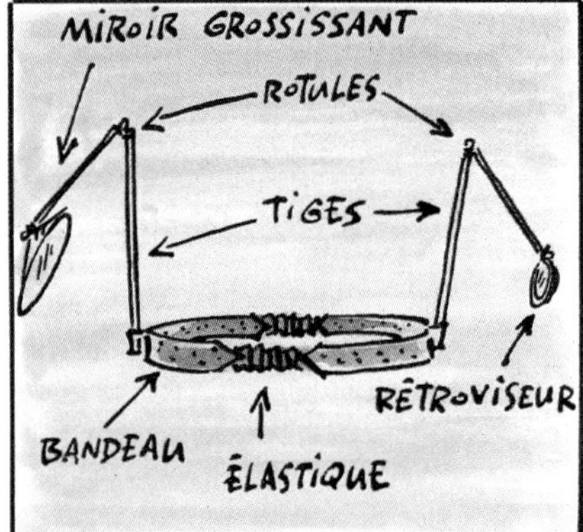
MIROIR GROSSISSANT
ROTULES
TIGES
RÉTROVISEUR
BANDEAU
ÉLASTIQUE

ON SE LE MET SUR LA TÊTE, ON L'AJUSTE...

ET VOILÀ ! ON SAIT CE QUI SE TRAME DANS NOTRE DOS ! JE VAIS LE TESTER DE CE PAS !

OUACHE ! C'EST PAS DU JEU, ÇA !
AH ! LUI ET SES INVENTIONS
?

ET ALORS ?!?

LA JOURNÉE EST PRESQUE TERMINÉE ET PERSONNE N'A PU ME COLLER UN POISSON DANS LE DOS !

GÉNIAL NON ?!
OUAIS, OUAIS !... VRAIMENT GÉNIAL !

GARNOTTE

INVENTION DÉGOUTTANTE

LE PROBLÈME AVEC CEUX QUI ONT LE RHUME...

POÛT

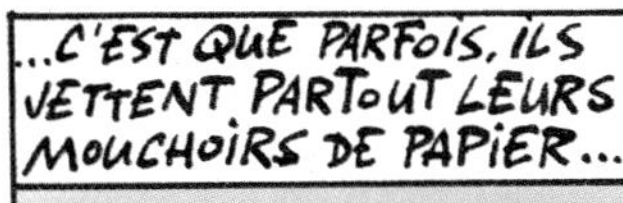
...C'EST QUE PARFOIS, ILS JETTENT PARTOUT LEURS MOUCHOIRS DE PAPIER...

SNIF

...ET TRANSMETTENT LEURS MICROBES À TOUT UN CHACUN

GOBBENT ALLEZ-VOUS?
EUH... JUSQU'ICI ÇA ALLAIT!

BREF, LEUR NEZ DÉGOUTTE...

Z'EST BAS DE BA VAUTE... BON NEZ GOULE GOMME UN ÉRABLE AU BRINTEMPS!

ALORS MOI, C'EST ÇA QUI M'A DONNÉ L'IDÉE

CLIC

APRÈS TOUT, SI, DE NOS JOURS, ON SE SERT DE TUBES POUR RÉCOLTER L'EAU D'ÉRABLE

JE ME SUIS DIT QU'ON POURRAIT EN FAIRE AUTANT POUR M. FRICON

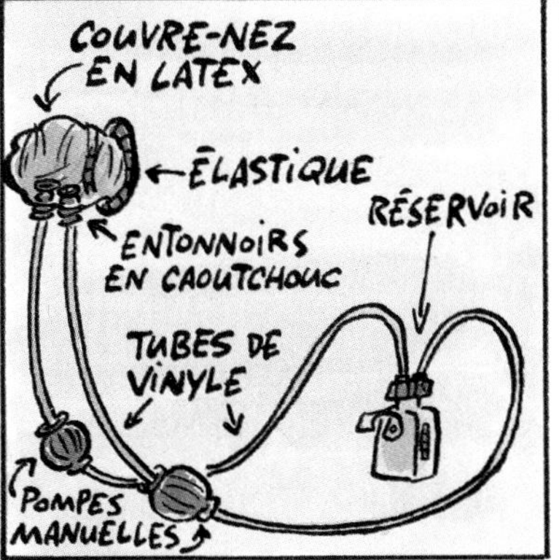
COUVRE-NEZ EN LATEX
ÉLASTIQUE
RÉSERVOIR
ENTONNOIRS EN CAOUTCHOUC
TUBES DE VINYLE
POMPES MANUELLES

LES DEUX POMPES ASPIRENT LA... EUH... ...LE... EUH... ENFIN... CE QUI DÉGOUTTE ET EMPÊCHE LA DISSÉMINATION DES MICROBES DANS L'AIR

POMP
POMP
POMP

OH! OH! ZE GROIS GU'IL Y A UN BEDIT BROBLÈME... ÇA... ÇA... ÇA...

...ÇA QUOI?
POMP
POMP

A A A A A A A A

TCHOUM

ÇA... CHATOUILLE LES NARINES!

GARNOTTE

PAPILLONNAGES

POUR SE FONDRE DANS LA NATURE, IL N'Y A RIEN COMME UN HABIT DE CAMOUFLAGE!

AH! LE PLAISIR DE NE FAIRE QU'UN AVEC LES PLANTES ... SNIF...

SENTIR UNE FLEUR... ET DEVENIR LA FLEUR
SNIF

GRÂCE À MON HABIT DE CAMOUFLAGE...

...CE PAPILLON ME PREND POUR UN ARBUSTE...

INCROYABLE! IL SE POSE SUR MON NEZ!! MOMENT MAGIQUE... SURTOUT NE PAS BOUGER!!

VROOOOOOO

PAF
VROOOOO

M. FRICON?!?

L'ORDINATEUR DE MON FILET À PAPILLONS GUIDÉ AU LASER VOUS A PRIS POUR UN PAPILLON!

GARNOTTE

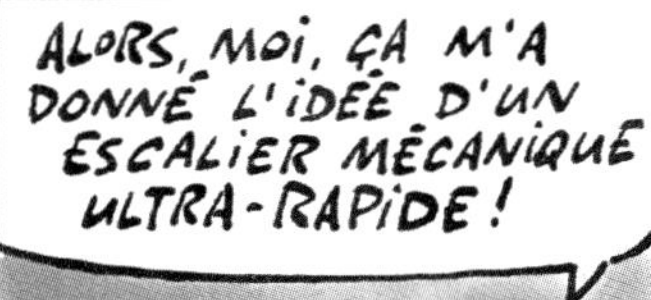
MARCHE FORCÉE

AH LÀ LÀ !
LE TEMPS QUE JE PERDS DANS L'ESCALIER !

ALORS, MOI, ÇA M'A DONNÉ L'IDÉE D'UN ESCALIER MÉCANIQUE ULTRA-RAPIDE !

EN FAIT, LE TOUT EST DE CALCULER LA COURSE DE LA MARCHE !
CRIC

AÏE ! STÉPHANE M'A DEMANDÉ D'ALLER TESTER SA NOUVELLE INVENTION

ALLONS-Y DOUCEMENT, JE ME MÉFIE !

OH ! OH !
CRIC
CRIC
CRIC

ZBONG
AAAAAA...

AAAAAA
ALORS, EST-CE QUE ÇA MONTE ASSEZ VITE ?!?

OUI... MAIS ÇA DESCEND ENCORE PLUS RAPIDEMENT !!
TOC

GARNOTTE

LIV-RAISON

L'AUTRE JOUR, JE REGARDAIS M. FRICON OUVRIR LA TÉLÉ...
CLIC
BIP

ET JE ME SUIS DIT QU'IL N'Y AVAIT PAS DE RAISONS POUR QUE LES LECTEURS N'AIENT PAS DROIT AU MODERNISME!

ALORS, J'AI INSTALLÉ UN RESSORT TÉLÉCOMMANDÉ DERRIÈRE CHAQUE LIVRE

ON « PITONNE » UN CODE... ET HOP, UN RESSORT VOUS PROPULSE VOTRE BOUQUIN!
ZBING
BIP

COMME D'HABITUDE, JE SUIS ALLÉ CHERCHER M. FRICON POUR TESTER MON INVENTION!

DONC, TU DIS QUE ÇA FONCTIONNE COMME POUR UN TÉLÉVISEUR!?!...

BON!!! C'EST CE QU'ON VA VOIR!
ZBONG
BIP BIP BIP BIP
ZBING
MAIS?
ZBANG

BIP
ZBING
ZBÜNG
BIP
ZBANG
BIP
BIP
ZBONG

MOI, J'AI L'HABITUDE DE FAIRE DU « ZAPPING » AVANT DE CHOISIR UNE ÉMISSION!
GYONGYONGGYONGYONGYONGG

GARNOTTE

RÉACTION-AIR

M. FRICON, J'AI HÂTE DE VOIR VOTRE RÉACTION À MON INVENTION RÉVOLUTIONNAIRE !
?

BOF ! MOI, TANT QU'IL Y A DU FRIC À FAIRE AVEC... JE NE SUIS PAS RÉACTIONNAIRE !

C'EST UN COSTUME DE BAIN GONFLABLE EN TISSU IMPERMÉABLE ET EXTENSIBLE !
DING
AIR
PSSCHH

AINSI, CEUX QUI NE SAVENT PAS NAGER POURRONT PLONGER...

SANS CRAINDRE DE COULER À PIC !

BONG
SPLIT
SPLAT

PUIS, POUR REMPLACER LA NAGE, IL SUFFIT DE TIRER LE FIL RELIÉ À LA VALVE DU COSTUME REMPLI D'AIR SOUS PRESSION !

J'AI INVENTÉ UN COSTUME DE BAIN À RÉACTION !
$ $
PSSCHH

GARNOTTE

LA BÉCANONEIGE

PEU DE CHOSES ARRÊTENT LE MORDU DE VÉLO TOUT TERRAIN...

...SINON LA NEIGE... ET ENCORE, ÇA NE LES ARRÊTE PAS TOUS.

VVVVV
VROOOOOMMMOMMMM

ALORS MOI, ÇA M'A DONNÉ UNE IDÉE...

J'AI REMPLACÉ LA ROUE AVANT PAR UN SKI ET LA ROUE ARRIÈRE PAR DEUX CHENILLES ULTRA LÉGÈRES!

ET MA BÉCANONEIGE, ELLE, NE TOMBE JAMAIS EN PANNE D'ESSENCE!
GARNOTTE

PUNCHING GAG

CHUT!!... M. FRICON CALCULE SES TAXES...

PIOM
PIOM
PIOM

...POUR UN GRAND TOTAL DE...
PIOM

AARGH

MOI, JE CROIS QUE CES PETITES CALCULATRICES SONT MAL ADAPTÉES AU CALCUL DES TAXES ET DE L'IMPÔT !

ALORS, J'EN AI INVENTÉ UNE QUI PERMETTRA UN NOUVEAU GENRE D'EXERCICE BUDGÉTAIRE...

QUANT AU FISC... L'IMPORTANT C'EST D'AVOIR L'IMPRESSION...

...DE LUI RÉGLER SON COMPTE, NON?
PIF
GRR
PAF

GARNOTTE

PAS DE DEUX

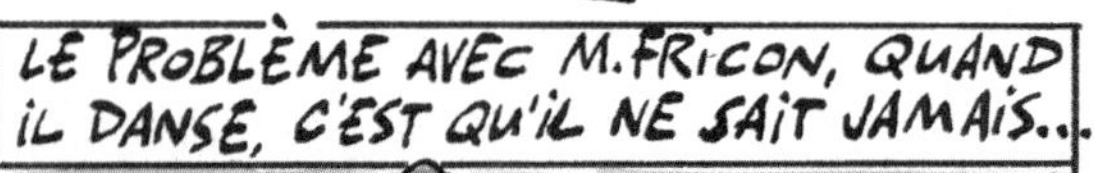
LE PROBLÈME AVEC M. FRICON, QUAND IL DANSE, C'EST QU'IL NE SAIT JAMAIS...

...SUR QUEL PIED DANSER !!!

AÏE!

DÉSOLÉ ...PAS FAIT EXPRÈS!

ALORS MOI, ÇA M'A DONNÉ UNE IDÉE!

J'AI POSÉ UNE SEMELLE AIMANTÉE À LA CHAUSSURE DE M. FRICON. PUIS, J'AI...

...AIMANTÉ L'EMPEIGNE DU SOULIER DE SA CAVALIÈRE

EN APPLIQUANT LE PRINCIPE SELON LEQUEL DEUX AIMANTS DE MÊME PÔLE SE REPOUSSENT!
WOW!

MAIS, POURQUOI S'ARRÊTER EN SI BON CHEMIN?

J'AI AUSSI CONÇU UN PLANCHER COMPOSÉ D'ÉLECTRO-AIMANTS POUR ENSEIGNER LA DANSE À M. FRICON!
AU SECOURS!

GARNOTTE

GLOBOVISEUR

AVEC TOUS LES BOULEVERSEMENTS POLITIQUES, LES FRONTIÈRES DES PAYS CHANGENT PRESQUE TOUS LES JOURS...

OUAAÂH !!! MON BEAU GLOBE EST DEVENU DÉSUET !!!

ALORS MOI, ÇA M'A DONNÉ UNE IDÉE...
VRRRR

INVENTER UN GLOBE TERRESTRE OÙ LES INFORMATIONS GRAPHIQUES ÉVOLUERAIENT AVEC LES ÉVÉNEMENTS
...DÉCLARATION D'INDÉPENDANCE DU BOWONGO...

D'ABORD, TRACER LES CARTES DE TOUS LES PAYS SUR ORDINATEUR...
ATLAS

PUIS, À L'AIDE DE SIX ÉCRANS DE TÉLÉVISION UN PEU SPÉCIAUX

...ASSEMBLER UN GLOBE TÉLÉVISUEL À SIX FACES...

...SUR LESQUELLES APPARAÎTRONT LES FRONTIÈRES GÉOGRAPHIQUES MODIFIABLES À VOLONTÉ.

LE MODÈLE DE LUXE:
GRÂCE À UNE TÉLÉCOMMANDE VOUS POUVEZ OBTENIR DES AGRANDISSEMENTS D'UNE RÉGION.
ZOOM

LE MODÈLE SUPER DE LUXE:
ZAPPEZ !... ET VOUS CHANGEZ DE PLANÈTE... MARS, LUNE OU JUPITER ?...
ZAP
CLIC

GARNOTTE

LAVE-SIRE

J'AI INVENTÉ UN LAVE-PERSONNE EN COPIANT SUR LE PRINCIPE DU LAVE-AUTO!

PENSEZ, M. FRICON! ON POURRAIT ÉQUIPER TOUS LES GYMNASES DU PAYS!
PARÉ POUR LE TEST?

ON NE POURRA PAS DIRE QUE JE N'AURAI PAS TOUT FAIT POUR DEVENIR MILLIONNAIRE...

CLIC CLIC CLIC CLIC
CLAC
PEUT-ÊTRE, MAIS VOUS POURREZ DIRE QUE VOUS LE SEREZ DEVENU PROPREMENT!

BLUB
FLOUCHE
PSCHITTT
DÉBARBOUILLETTES GÉANTES, EAU CHAUDE SAVONNEUSE SOUS PRESSION, BROSSES ROTATIVES, SÉCHOIR À GRAND DÉBIT D'AIR CHAUD!

ALORS?!?

J'AIMERAIS QUE TU M'EXPLIQUES POURQUOI J'AI EU DROIT À UNE APPLICATION DE CIRE CHAUDE, PENDANT LE RINÇAGE

GARNOTTE

ARÊTE-STOP

M. FRICON A LA FÂCHEUSE HABITUDE D'ENGOUFFRER TOUT CE QU'IL MANGE...

... SAUF LE POISSON, CAR...
NIOK NIOK NIOK

GLOUPS

... IL A PEUR DE S'ÉTRANGLER AVEC UNE ARÊTE!...
RRRRREUH
?

ALORS MOI, ÇA M'A DONNÉ UNE IDÉE !

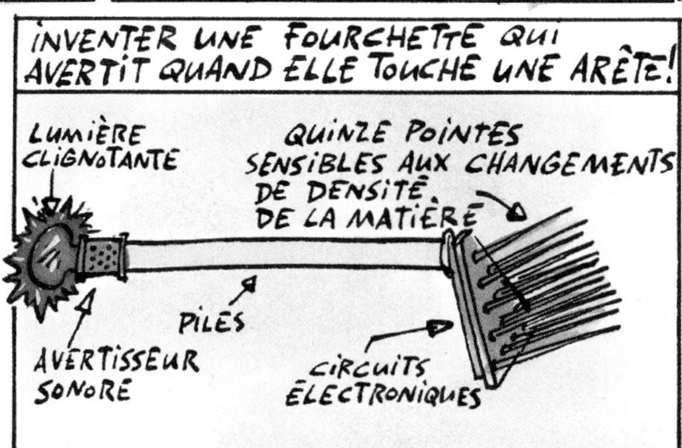
INVENTER UNE FOURCHETTE QUI AVERTIT QUAND ELLE TOUCHE UNE ARÊTE!
LUMIÈRE CLIGNOTANTE
QUINZE POINTES SENSIBLES AUX CHANGEMENTS DE DENSITÉ DE LA MATIÈRE
PILES
AVERTISSEUR SONORE
CIRCUITS ÉLECTRONIQUES

S'IL N'Y A PAS D'ARÊTE: PAS DE SIGNAL !

S'IL Y EN A UNE...
BÎP BÎP BÎP BÎP BÎP BÎP BÎP BÎP

DÉSORMAIS PROTÉGÉ, M. FRICON POURRA ENGOUFFRER SON POISSON COMME IL ENGOUFFRE TOUT LE RESTE !
SLURP
GLORK
NIARK
MIAM

GLOUK?

HEY!! MAIS... MAIS!... VOUS AVEZ AVALÉ LES POINTES DE VOTRE FOURCHETTE!

UNE CHANCE QUE JE CONNAISSAIS LA MANOEUVRE DE HEIMLICH !!!
MFF!
YERK!
TONK

GARNOTTE

LANCE-PIERRE-JEAN-JACQUES

AVEZ-VOUS ENVIE DE LANCER DES GARNOTTES AUX GROS ET LENTS AUTOBUS JAUNES POUR LES ÉCOLIERS?

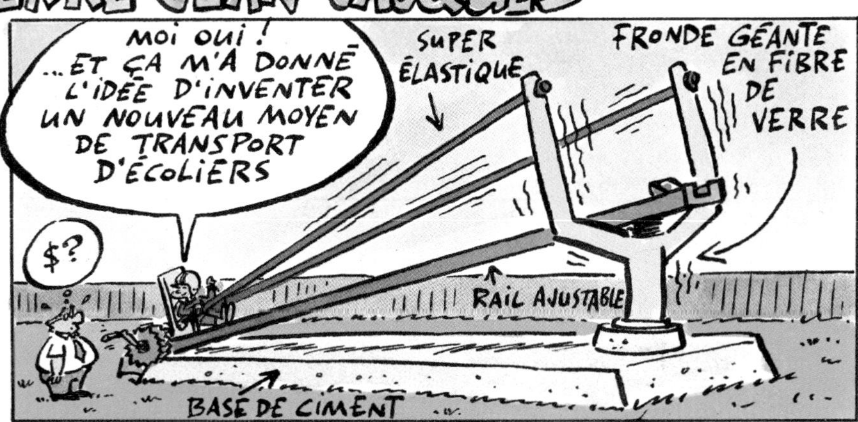
MOI OUI! ...ET ÇA M'A DONNÉ L'IDÉE D'INVENTER UN NOUVEAU MOYEN DE TRANSPORT D'ÉCOLIERS
$?
SUPER ÉLASTIQUE
FRONDE GÉANTE EN FIBRE DE VERRE
RAIL AJUSTABLE
BASE DE CIMENT

QUATRE... TROIS... DEUX... UN... ZÉRO!!
ZDOING

POUR MIEUX PLANER, J'AI COUSU DES AILES À MA COMBINAISON!

FLOUP
EN TOUT CAS, AVEC ÇA, IL Y AURAIT MOINS DE DÉCROCHEURS!

SEULEMENT QUINZE SECONDES!!

AÏE! STÉPHANE A OUBLIÉ SON SAC D'ÉCOLE! JE ME DEMANDE SI JE NE POURRAIS PAS..?

AH! SI ON POUVAIT SE REMPLIR LE CRÂNE AUSSI RAPIDEMENT, HEIN?

SSSSSS
ZDONG

GARNOTTE

VISIONS DANTESQUES

M. FRICON UTILISE UNE MINI-LAMPE DE LECTURE QUI S'ACCROCHE PAR UNE PINCE AU BOUQUIN QU'IL LIT.

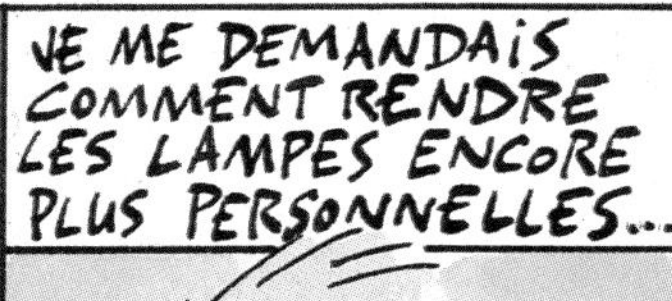
JE ME DEMANDAIS COMMENT RENDRE LES LAMPES ENCORE PLUS PERSONNELLES...

...QUAND J'AI EU QUELQUES IDÉES...

D'ABORD, DES LUNETTES MUNIES DE MINI-LAMPES ARTICULÉES...

ÇA NE VA PAS DU TOUT ! MON NEZ FAIT DE L'OMBRE !

...PUIS, DEUX MINI-SPOTS À ENCASTRER...

HEY !... ET GOBBENT JE FAIS BOUR RESBIRER, BOI ?...

ALORS, J'AI EU MON IDÉE LA PLUS LUMINEUSE :

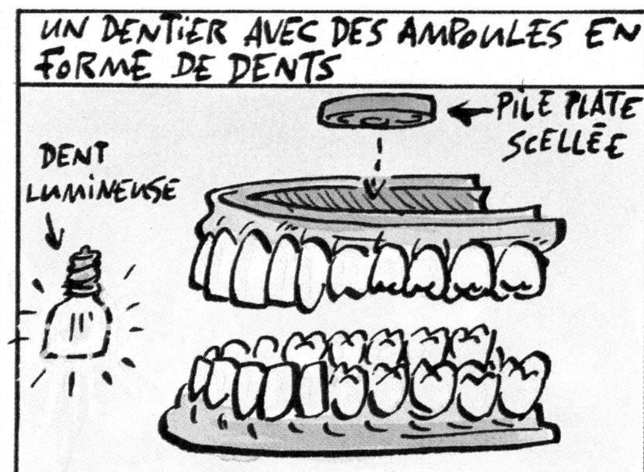
UN DENTIER AVEC DES AMPOULES EN FORME DE DENTS
PILE PLATE SCELLÉE
DENT LUMINEUSE

PARÉ POUR LE TEST, M. FRICON ?... SOURIEZ !

VOUS QUI AVEZ TOUJOURS VOULU AVOIR UN SOURIRE RADIEUX !

GARNOTTE

PuPiTRERie

STÉPHANE, POURRAIS-TU RESTER APRÈS LA CLASSE, J'AURAIS DEUX MOTS À TE DIRE

STÉPHANE, JE NE METTRAI PAS DE GANTS BLANCS POUR TE LE DIRE... J'AURAIS PEUR DE LES SALIR...

TON PUPITRE EST PRESQUE UNE POUBELLE!! ALORS, AMÉLIORE-MOI ÇA !!

ELLE AURAIT PEUR DE SALIR SES BEAUX GANTS BLANCS !...

MAIS... C'EST VRAI QUE ÇA POURRAIT ÊTRE MIEUX!

IL NE POURRAIT PAS UTILISER UN SAC D'ÉCOLE, COMME TOUT LE MONDE, NON?!?

JE NE L'AVAIS JAMAIS VU CREUSER UN SUJET COMME ÇA !!
SCHTIK SCHTIK SCHTIK

LE LENDEMAIN:
DÉSORMAIS, ON NE SE SALIRA PLUS LES MAINS SUR MON PUPITRE !! J'AI AMÉLIORÉ ÇA !

CHTOK

GARNOTTE

SAPIN PROJETÉ

COMMENT TROUVEZ-VOUS MON ARBRE DE NOËL ?
SUPERBE ! MAIS...

MAIS... MAIS... MA MAIN PASSE À TRAVERS !

JE VOUS AI BIEN EU, HEIN, M. FRICON ?... C'EST UNE PROJECTION TRIDIMENSIONNELLE...

...DE L'IMAGE D'UN SAPIN EN FORÊT, CAPTÉE PAR UNE CAMÉRA DE TÉLÉVISION HOLOGRAPHIQUE QUE J'AI MISE AU POINT EN UTILISANT L'ÉCLAIRAGE AU LASER !

IL SUFFIT DE SUSPENDRE LES DÉCORATIONS À DES FILS TRANSPARENTS

PUIS DE METTRE EN MARCHE LE PROJECTEUR HOLOGRAPHIQUE

AINSI, PLUS BESOIN DE COUPER DES MILLIONS DE SAPINS À CHAQUE NOËL !

ALORS, MOI, ÇA M'A DONNÉ UNE IDÉE POUR LE CADEAU DE STÉPHANE...

MINUIT !!! JOYEUX NOËL, STÉPHANE !!!

J'AI PENSÉ T'OFFRIR L'HOLOGRAMME D'UN CADEAU... ES-TU CONTENT ?

GARNOTTE

SKIS À DOUBLE FOND

LE PROBLÈME DE M. FRICON EN SKI DE FOND, C'EST DE GRIMPER LES CÔTES ABRUPTES.

ALORS MOI, ÇA M'A DONNÉ UNE IDÉE...

UNE IDÉE QUI COÛTERA CHER, MAIS CE N'EST PAS M. FRICON QUI MANQUERA DE FONDS POUR SES SKIS DE FOND !

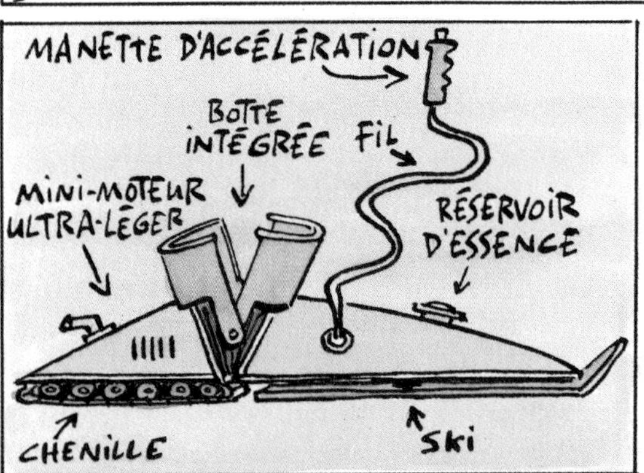
MANETTE D'ACCÉLÉRATION
BOTTE INTÉGRÉE
FIL
MINI-MOTEUR ULTRA-LÉGER
RÉSERVOIR D'ESSENCE
CHENILLE
SKI

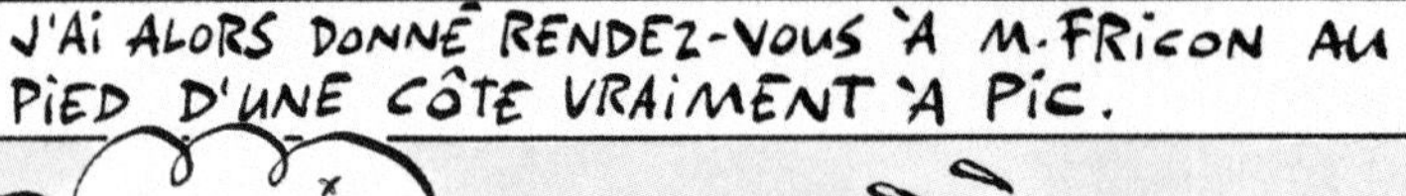
J'AI ALORS DONNÉ RENDEZ-VOUS À M. FRICON AU PIED D'UNE CÔTE VRAIMENT À PIC.

VROOO

SI VOUS GRIMPEZ CETTE CÔTE-CI... IL N'Y AURA PLUS DE PENTES POUR VOUS RÉSISTER...
POUT POUT POUT

LE TRUC C'EST D'Y ALLER VRAIMENT À FOND... 3... 2... 1... ZÉRO !

VROOOOOO

POUF

BRAVO M. FRICON ! VOUS VENEZ D'INVENTER LE SKI DE FOND ACROBATIQUE !
POUT POUT POUT POUT POUT

GARNOTTE

AUTODÉFENSE

STÉPHANE, IL FAUT QUE TU TROUVES UNE SOLUTION À CES VOLS DE BAGNOLES!
LE JOURNAL
ÉPIDÉMIE DE VOLS D'AUTOS

LE PROBLÈME, C'EST DE RÉUSSIR À METTRE LES VOLEURS DERRIÈRE LES BARREAUX!!

J'AI D'ABORD ÉTUDIÉ LES STATISTIQUES, LES MODÈLES LES PLUS VOLÉS, OÙ, QUAND..

PUIS J'AI DÉCIDÉ D'ATTAQUER LE PROBLÈME À LA SOURCE... APPÂTER LE VOLEUR...

...AVEC UNE BELLE VOITURE DÉVERROUILLÉE DANS UN STATIONNEMENT MAL ÉCLAIRÉ...
CENTRE D'ACHATS

ET CE QUI STATISTIQUEMENT DEVAIT ARRIVER, ARRIVA:

OUÂÂH!! ...DU VRAI GÂTEAU!!

QUAND IL A VOULU METTRE LE CONTACT, LES PORTIÈRES SE SONT VERROUILLÉES!!
9.1.1
9.1.1
9.1.1
9.1.1
OUIIIN
GLAC GLAC GLAC GLAC GLAC GLAC
GLAC

PUIS, GRÂCE À UNE BONNE CAMPAGNE DANS LES MÉDIAS...
LA POLICE ANNONCE QU'ELLE A ACHETÉ SOIXANTE AUTOS-PIÈGES, QU'ELLE A DISPOSÉES UN PEU PARTOUT!
$
LE JOURNAL
UN AUTRE RÉSEAU DE VOL D'AUTOS DÉMANTELÉ

PLUS MOYEN DE GAGNER MALHONNÊTEMENT SA VIE... JE CROIS VOIR DES AUTOS-PIÈGES PARTOUT!
BAH! CHANGEONS DE VILLE... TIENS, J'AI VOLÉ CES DEUX BILLETS D'AUTOBUS!

GARNOTTE

CONTRINVENTION

EN VILLE, IL Y A TOUJOURS DES VOITURES MAL STATIONNÉES QUI NUISENT AU TRAVAIL DES BALAYEUSES OU DES DÉNEIGEUSES,

CE QUI SE SOLDE SOUVENT PAR DES CONTRAVENTIONS,

PARFOIS MÊME PAR UN REMORQUAGE! C'EST D'AILLEURS CE QUI M'A DONNÉ L'IDÉE...

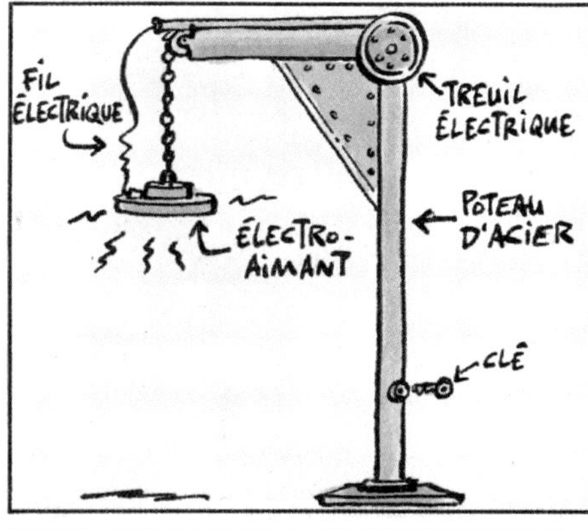
FIL ÉLECTRIQUE
TREUIL ÉLECTRIQUE
POTEAU D'ACIER
ÉLECTRO-AIMANT
CLÉ

PARÉ POUR LE TEST, M. FRICON ?... IL SUFFIT DE TOURNER LA CLÉ !
?$?

L'ÉLECTRO-AIMANT SE COLLE AU TOIT DE L'AUTO...
DDZIIIIITT

VRRR
...ET VOTRE VOITURE S'ÉLÈVE AU-DESSUS DU PROBLÈME...
!

IMAGINEZ, L'ENTRETIEN DES RUES SERAIT FACILITÉ, L'ÉTÉ COMME L'HIVER !!

SANS VOITURES MAL STATIONNÉES, ON N'AURA PLUS JAMAIS BESOIN DE CONTRAVENTIONS !

LE LENDEMAIN MATIN...
STÉPHANE ! JE CROIS QU'ON VA AVOIR ENCORE BESOIN DES CONTRAVENTIONS !

¡MAGINE ! IL Y A ENCORE DES TWITS QUI SE STATIONNENT N'IMPORTE OÙ !

GARVOTTE

FAUSSES PISTES

L'IDÉE M'EST VENUE EN TROIS ÉTAPES : PRIMO, LA PUBLICITÉ OMNIPRÉSENTE DANS NOS VIES...

LES DÉBROUILLARDS
MATIK
SUPER MARCHÉ
MACMACHIN
ÉLECTRO TRUC

SECUNDO, LE NOMBRE DE GENS QUI MARCHENT EN REGARDANT PAR TERRE...

ET TERTIO, UNE FLAQUE D'EAU DANS LAQUELLE J'AI MARCHÉ...

J'AI ALORS SCULPTÉ UN MESSAGE DANS UNE SEMELLE DE CAOUTCHOUC...

...PUIS, J'AI PERFORÉ LA SEMELLE POUR LAISSER S'ÉCOULER UN LIQUIDE HAUTEMENT VOLATIL...

RÉSERVOIR D'ESSENCE VOLATILE
MESSAGE
FINES PERFORATIONS

AINSI, PLUS BESOIN DE MARCHER DANS UNE FLAQUE POUR LAISSER SON EMPREINTE...

...MÊME DANS L'ESPRIT DES GENS !...

CAR MON MESSAGE S'ÉVAPORE SI VITE QU'ON N'A PAS CONSCIENCE QUE NOS YEUX L'ONT APERÇU

SUIVEZ MOI

BREF, UN MESSAGE SUBLIMINAL QUI AGIT SUR L'INCONSCIENT !

TIENS ! JE VAIS ALLER PAR LÀ !

J'AI INVENTÉ LE POISSON D'AVRIL SUBLIMINAL !

JE LES AMÈNE TOUS À L'AQUARIUM !

GARNOTTE

L'AUTRE COUPE STANLEY

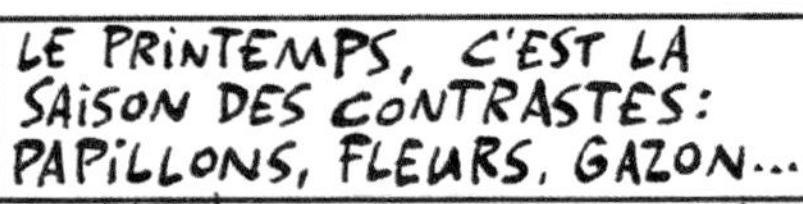
LE PRINTEMPS, C'EST LA SAISON DES CONTRASTES: PAPILLONS, FLEURS, GAZON...

...ET SÉRIES ÉLIMINATOIRES DE HOCKEY SUR GLACE...

...QU'ON PROLONGE EN HOCKEY SUR GAZON DANS LA COUR!
STÉPHANE!

LE GAZON A BESOIN D'UNE BONNE COUPE! JE COMPTE SUR TOI!!

ALORS MOI, ÇA M'A DONNÉ UNE IDÉE!!!

J'AI ÉTUDIÉ L'AGENCEMENT DES PIÈCES DE LA TONDEUSE MÉCANIQUE

PUIS, J'AI BRICOLÉ PLUSIEURS TONDEUSES MINIATURES...

...QUE J'AI INSTALLÉES SOUS DES BOTTINES DE PATINS À ROULETTES

ENFIN, J'AI APPELÉ LES COPAINS, TOUS DE FAMEUX HOCKEYEURS EN HERBE...

...POUR LE MATCH DE MA « COUPE » STANLEY!!!

GARNOTTE

STADE TERMINAL

À MONTRÉAL, LE STADE OLYMPIQUE EST CÉLÈBRE POUR SON TOIT AMOVIBLE... IMPOSSIBLE À OUVRIR !...

...ET POUR SES COÛTS ASTRONOMIQUES QUI GONFLENT LES COMPTES DE TAXES !
AYOYE !
TAXES

ALORS MOI, ÇA M'A DONNÉ UNE IDÉE ...

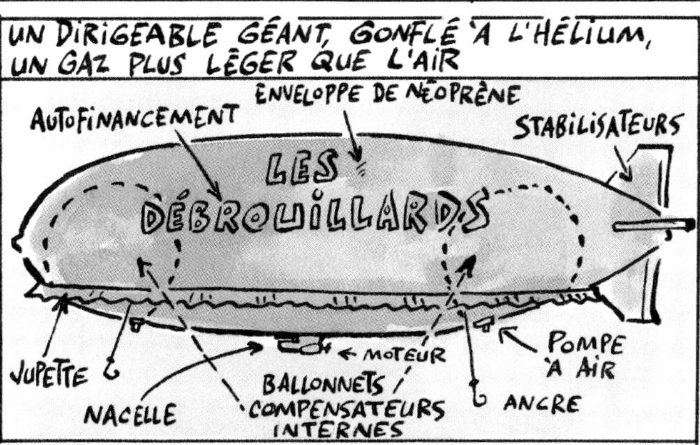
UN DIRIGEABLE GÉANT, GONFLÉ À L'HÉLIUM, UN GAZ PLUS LÉGER QUE L'AIR
ENVELOPPE DE NÉOPRÈNE
AUTOFINANCEMENT
STABILISATEURS
LES DÉBROUILLARDS
JUPETTE
MOTEUR
POMPE À AIR
BALLONNETS / COMPENSATEURS INTERNES
NACELLE
ANCRE

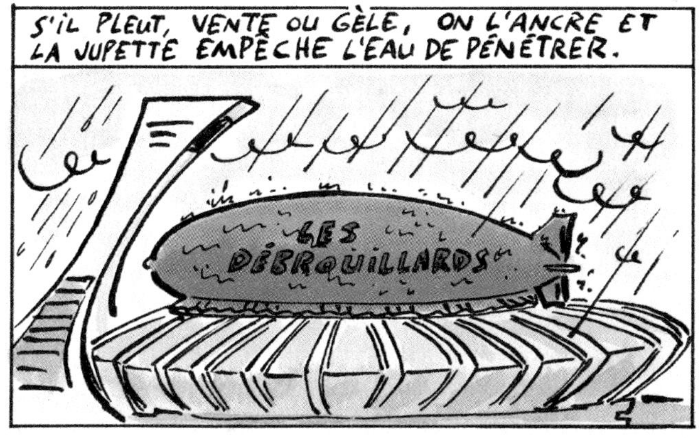
S'IL PLEUT, VENTE OU GÈLE, ON L'ANCRE ET LA JUPETTE EMPÊCHE L'EAU DE PÉNÉTRER.
LES DÉBROUILLARDS

S'IL FAIT BEAU, ON VIDE LES BALLONNETS DE LEUR AIR ET LE BALLON S'ÉLÈVE LENTEMENT, L'HÉLICE CORRIGEANT LA DÉRIVE.
LES DÉBROUILLARDS
YÉÉÉ !
BRAVO !
YOUPPI !

MOUAIS !!! PAS MAL ! PAS MAL ! MAIS... POURQUOI UN DIRIGEABLE ?... UN SIMPLE BALLON FERAIT L'AFFAIRE !?

CHOU !
AUX DOUCHES !
LES DÉBROUILLARDS
OUI MAIS... SI LA PARTIE EST PLATE, ON PEUT ALLER FAIRE UN TOUR !
WOW !

GARNOTTE

SUSPENSIONS

MON PROBLÈME À L'ÉCOLE, C'EST QUE JE CHERCHE TOUJOURS MES TRUCS...

ALORS MOI, APRÈS LA CLASSE VENDREDI, J'AI EU UNE IDÉE...

AGRAFES
FIL ÉLASTIQUE SUPER RÉSISTANT

TAC
ON AGRAFE SOLIDEMENT L'ÉLASTIQUE AU PLAFOND!

PUIS, IL SUFFIT D'ATTACHER SES OBJETS À L'AUTRE BOUT!

RÉSULTAT: ON A TOUT À PORTÉE DE MAIN. CRAYON, EFFACE, ETC.
?

...ET QUAND ON EN A FINI...

AÏE!
TONK

DÉFAIS-MOI TOUT ÇA! SINON, C'EST TOI QUI SERAS SUSPENDU POUR DEUX JOURS !!

AÏE! C'EST PLUS DIFFICILE À ENLEVER...

OUPSE!

... ET L'ÉCOLE QUI NE ROUVRE PAS AVANT DEUX JOURS !!

GARNOTTE

EN VOITURE !

À MON ÂGE, ME DONNER RENDEZ-VOUS EN HAUT D'UNE CÔTE PAREILLE !... ÇA, C'EST BIEN STÉPHANE !

VRRRRRRR... RRRRRRRR

AH LA LA LA LA LA LA !! CES JEUNES !!
TOUS DES FOUS DE LA VITESSE...

MAIS... MAIS... MAIS... C'EST UNE VOITURE D'ENFANT ABANDONNÉE QUI DÉVALE...

VITE !! IL FAUT QUE JE LA RATTRAPE AVANT LA PROCHAINE INTERSECTION !

JE GAGNE DU TERRAIN... JE GAGNE DU TERRAIN...

MAIS... CE NE SERA PAS SUFFISANT... ACCÉLÉRONS !
ARRÊT

ARRÊT

BING

ALORS, M. FRICON, COMMENT TROUVEZ-VOUS MON LANDAU TÉLÉGUIDÉ, À FREINS ABS ?
TENUE DE ROUTE IMPECCABLE... MAIS HABITABILITÉ MOYENNE !
ARRÊT

GARNOTTE

POCHES À LA POCHE !

ÊTES-VOUS PRÊT POUR UNE PETITE PARADE DE MODE, M. FRICON ?

LE GRAND COUTURIER STÉPHÂNE MISE CETTE ANNÉE SUR LA POLYVALENCE DE LA POCHE...
?

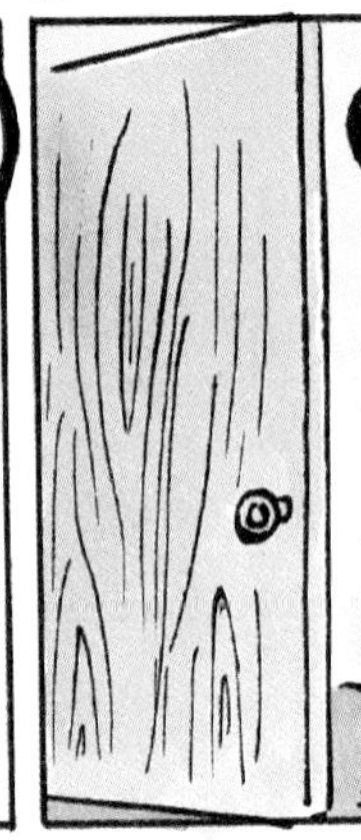

... POUR PRÉSENTER SON MANTEAU « QUATRE-SAISONS » !

VOILÀ ! J'AI INVENTÉ UN MANTEAU FAIT EXPRÈS POUR VOUS, M. FRICON !! QU'EN PENSEZ-VOUS ?

CE MANTEAU PLEIN DE POCHES !!... JAMAIS RIEN VU D'AUSSI LAID !!

AU PRINTEMPS ET À L'AUTOMNE, QUAND ON SE PROMÈNE LES MAINS DEDANS... ON AURA LE CHOIX DES POCHES...
ZAP
ZOP

...ET DES POSTURES !! (AU GRAND PLAISIR DES AMATEURS DE YOGA !) CAR IL Y A DES POCHES PARTOUT !
ZIP
ZOUP

L'HIVER, ON N'A QU'À BOURRER SES POCHES AVEC PLUS OU MOINS DE MATIÈRE ISOLANTE, SELON QU'ON EST FRILEUX DU DOS OU DES BRAS OU SELON LA RIGUEUR DU CLIMAT !
$?

ET ENFIN L'ÉTÉ, ON REMPLACE L'ISOLANT PAR DES CONTENANTS DE LIQUIDE CONGELÉ DONT ON SE SERT DANS LES GLACIÈRES... ET ZOUPITON !... ON A LE PREMIER MANTEAU CLIMATISÉ AU MONDE !
IGLOO
IGLOO

CROYEZ-MOI M. FRICON, AVEC CETTE INVENTION, VOUS ALLEZ VOUS EN METTRE PLEIN LES POCHES !
CE MANTEAU... PLEIN LES POCHES !... JAMAIS RIEN VU D'AUSSI BEAU !!!
BRR...

GARNOTTE

SANG FROID

WOW!! SUPERBE, VOTRE BONHOMME DE NEIGE, M. FRICON!

MALHEUREUSEMENT, LA MÉTÉO ANNONCE DU TEMPS DOUX POUR DEMAIN... ET... ET... JE SAIS BIEN QUE JE SUIS UN PEU VIEUX POUR ÇA... MAIS...

...MAIS JE NE CONNAIS RIEN DE PLUS TRISTE QU'UN BONHOMME DE NEIGE QUI FOND AU SOLEIL...
WOUAAAH!

MAIS... NE FONDEZ PAS EN LARMES POUR SI PEU... JE VAIS VOUS INVENTER UN BONHOMME DE NEIGE À L'ÉPREUVE DU TEMPS DOUX!

D'ABORD, SE SERVIR DES COMPOSANTES D'UN VIEUX FRIGO...

...COMPRESSEUR, GAZ, TUYAUX AUXQUELS ON DONNE LA FORME DÉSIRÉE...

ÉVAPORATEUR
DANS LES TUYAUX CIRCULERA DU FRÉON, UN GAZ RÉFRIGÉRANT... GAZEUX, IL ABSORBE LA CHALEUR. COMPRIMÉ ET LIQUIDE, IL S'EN DÉBARRASSE DANS L'AIR!
CONDENSEUR
GAZ
PSCH
COMPRESSEUR

PUIS, JE CONSTRUIS MON BONHOMME DE NEIGE PAR-DESSUS CES TUYAUX! ET JE CACHE LE CONDENSEUR DERRIÈRE UN SAPIN!

ENFIN, ON RÈGLE LE THERMOSTAT À MINIMUM! QU'EN PENSEZ-VOUS?
HI! HI! ON DIRAIT MÊME QU'IL GRELOTTE!
BRRR.

GARNOTTE

COUVERT REDÉCOUVERT

M. FRICON, VOUS ALLEZ AVOIR L'HONNEUR DE TESTER L'INVENTION QUI LAISSERA SA MARQUE DANS LA RESTAURATION RAPIDE !
J'ESPÈRE QUE ÇA VA ÊTRE PAYANT !

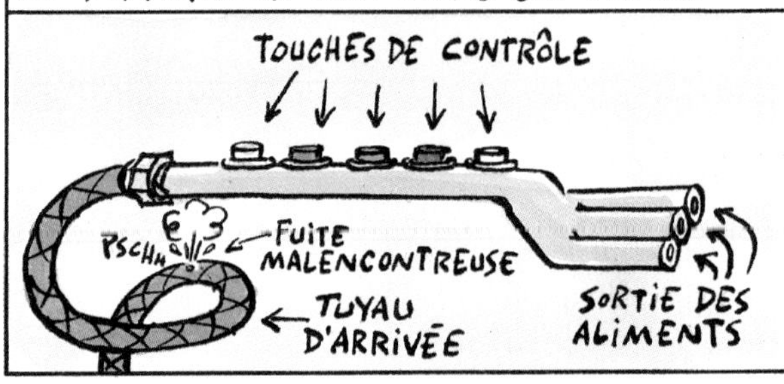
IL S'AGIT D'UNE FOURCHETTE TUBULAIRE, RELIÉE PAR UN TUYAU À UN COMPRESSEUR D'AIR ET MUNIE DE BOUTONS COMMANDANT L'ARRIVÉE DE DIFFÉRENTS ALIMENTS EN PURÉE...
TOUCHES DE CONTRÔLE
PSCHH
FUITE MALENCONTREUSE
TUYAU D'ARRIVÉE
SORTIE DES ALIMENTS

ÊTES-VOUS PRÊT M. FRICON?
JE ME DEMANDE S'IL Y A UN PUBLIC CIBLE POUR CE GADGET !

PESEZ SUR LE BOUTON ROUGE POUR AVOIR DU BOEUF FINEMENT HACHÉ...
PSCH
!

UNE PAUSE POUR AVALER, PAS BESOIN DE MÂCHER !!
MIAM! CHA MARCHE! CH'EST COMME JOUER GLOUP... DE LA FLÛTE À BEC !!

LE BOUTON VERT, C'EST DE LA PURÉE DE LÉGUMES, LE BLANC, DU LAIT...
PSCH PSCH PSCH PSCH PSCH PSCH

EUH... JE VOIS QUE VOUS AVEZ COMPRIS, M. FRICON, C'EST DONC TRÈS SIMPLE À UTILISER
PSCH PSCH PSCH PSCH PSCH PSCH PSCH

MAIS L'ÉNUMÉRATION N'EST PAS FINIE... PESEZ SUR LE BOUTON BLEU...

LAVAGE DE VAISSELLE (SI ON PEUT DIRE !) À L'EAU SAVONNEUSE !
PSCHH

PUIS, BOUTON JAUNE : JET D'AIR CHAUD PARFUMÉ POUR SÉCHER !
PFF

TEMPS TOTAL DU REPAS : 47 SECONDES ! ALORS, DITES-MOI M. FRICON...
TIC

QUE PENSEZ-VOUS DE MA FOURCHETTE PNEUMATIQUE ? ALLEZ-Y ! NE MÂCHEZ PAS VOS MOTS !!
BURP !

GARNOTTE

INVENTION SOUFFLANTE

VOILÀ M. FRICON! CHUUUT.... JE VAIS ENFIN POUVOIR TESTER MA NOUVELLE INVENTION!

OUF
ZZZZZAP

HA! HA! C'EST TOI!!! N'OUBLIE PAS QUE ÇA SE JOUE À DEUX, CES PETITS JEUX-LÀ!

HÉ! HÉ! CE QU'IL NE SAIT PAS, C'EST QUE, JEUNE, J'AI DÉJÀ ÉTÉ CHAMPION LANCEUR DE BALLES DE NEIGE!

PERSONNE NE LES FAISAIT PLUS VITE QUE MOI!
ZIP
ZAP

ESSAIE DE FAIRE MIEUX!

VROOOÂM
POUF

DÉSORMAIS ON POURRA S'AMUSER EN PASSANT LA SOUFFLEUSE!
VRÔÔAAM

GARNOTTE

CORNET MABOUL

QUAND IL FAIT CHAUD, L'ÉTÉ, M. FRICON ÉPROUVE DES DIFFICULTÉS À TRANSPORTER LES CORNETS DE...

...CRÈME GLACÉE ET IL EN A ENCORE PLUS POUR LES LÉCHER... À LA JOIE DE MOUSSU.
SLAP!
SLAP
SLAP
SLUP SLUP
SLIP SLIP
SLIP

...ALORS MOI, ÇA M'A DONNÉ L'IDÉE DE RÉVOLUTIONNER LE CORNET DE CRÈME GLACÉE!

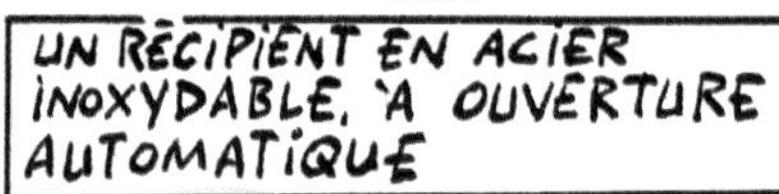
UN RÉCIPIENT EN ACIER INOXYDABLE, À OUVERTURE AUTOMATIQUE

CLIC

...DOUBLÉ DE MOUSSE ISOLANTE QUI GARDE GLACÉE LA BOULE DE CRÈME... JUSQU'AU FESTIN!

ON LES TRANSPORTE AINSI À L'ABRI DU SOLEIL, DES MOUCHES ET DU CHAT
?
?
?

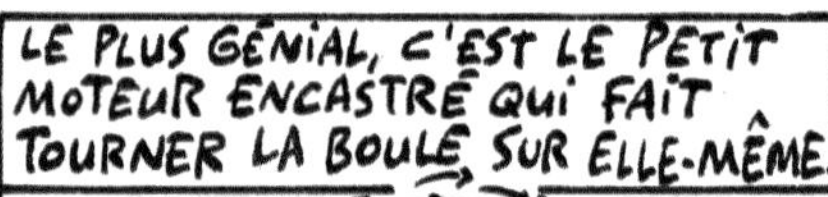
LE PLUS GÉNIAL, C'EST LE PETIT MOTEUR ENCASTRÉ QUI FAIT TOURNER LA BOULE SUR ELLE-MÊME...

VRR RR...

...ÉPARGNANT AINSI AU MANGEUR DE FASTIDIEUX COUPS DE LANGUE!
VRRR

BREF, UN CORNET À L'ÉPREUVE DES MALADRESSES DE M. FRICON!
...PRESSER SUR LE BOUTON...
SPOUTSSS!
VRRR

MON CORNET!!
GÉNIALE, CETTE INVENTION!
VRRRR
SLIP SLIP SLIP
SLIP SLIP
?

GARNOTTE

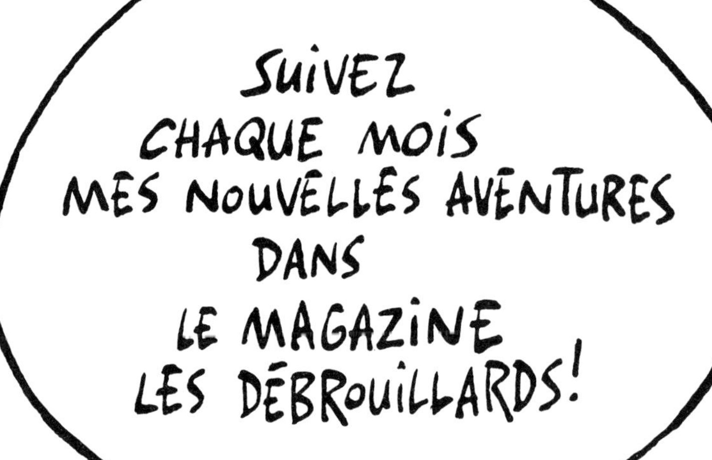
SUIVEZ
CHAQUE MOIS
MES NOUVELLES AVENTURES
DANS
LE MAGAZINE
LES DÉBROUILLARDS!

LES DÉBROUILLARDS
BD

DÉJÀ PARU :

LES GRANDS DÉBROUILLARDS

par Jacques Goldstyn et Al+Flag

CLIK
ZBONG